D1125107

Le cadeau de
MME BEAUTÉ

Le cadeau de
MME BEAUTÉ

Roger Hargreaves

hachette
JEUNESSE

Madame Beauté partait en voyage : pour la centième fois, elle vérifia qu'elle n'avait rien oublié.

– Voyons, ma trousse de maquillage est bien dans mon sac, mes plus beaux bijoux aussi.

Pour la deux centième fois, elle vérifia que sa tenue était impeccable.

– Miroir, mon beau miroir, dis-moi que je suis la plus belle en cette ville !

Bien entendu, son miroir ne lui répondit pas, mais l'image qu'il lui renvoya enchanta madame Beauté. Ravie, elle s'apprêta à aller accueillir ses invités : en effet, à l'occasion de son départ, elle avait organisé une petite fête.

– Une fête ! si elle croit qu'elle va nous manquer, elle se trompe !

Au contraire, bon débarras ! grognait monsieur Malpoli en se rendant chez madame Beauté.

Tandis que madame Beauté vérifiait pour la trois centième fois qu'elle était ravissante, monsieur Glouton faisait les honneurs du buffet aux premiers invités.

– M'ont pas l'air frais, ces petits fours ! maugréa monsieur Malpoli.

– Vous prendrez bien une tasse de thé ? lui proposa monsieur Grand.

– Du thé ? quelle horreur !

Madame Beauté apparut enfin sur le perron
de sa demeure.

– Mes chers amis, je suis désolée de devoir vous quitter
pendant quelques jours, mais c'est la rançon
de la célébrité. Ma beauté est connue à des milliers
de kilomètres, et je me dois de répondre à ceux qui
souhaitent me contempler. Mais ne soyez pas tristes…

… Pour vous aider à supporter mon absence,
j'ai eu une idée ex-tra-or-di-naire ! Monsieur Costaud,
c'est à vous !

Et voilà !

– Madame Beauté, j'ai une idée encore plus ex-tra-or-di-naire ! lança madame Magie.

– Dites donc, vous, je ne vous ai pas envoyé de carton d'invitation !

– Je le sais, et c'est vraiment regrettable !

– Abracadabra, un sort je vais te jeter, pour te punir de ne pas m'avoir invitée !

Regarde bien !

À la place de la statue de madame Beauté, il y avait maintenant une foule de statuettes qui la représentaient. Toutes identiques !

Comme tu peux l'imaginer, madame Beauté était furieuse. Ses invités, en revanche, riaient à gorge déployée.

– C'est super ! s'écria monsieur Grand. Je vais pouvoir mettre madame Beauté sur ma cheminée ! Je pourrai la contempler autant qu'il me plaira !

– Elle fera une cible originale pour m'exercer au tir !
ricana monsieur Malpoli en prenant à son tour
une statuette.

– Moi qui cherchais un épouvantail depuis longtemps,
je suis comblé ! lança monsieur Petit. Désormais,
les moineaux ne viendront plus me voler mes cerises !

– Une cible ? Un épouvantail ? répéta madame Beauté,
hors d'elle. Vous avez entendu, madame Magie ?

– Oui, ma chère… Un instant, j'ai une idée,
dit madame Magie.

Abracadabra…

… ton double tu seras !

Il y avait désormais deux madame Beauté :
l'une partirait en voyage, l'autre resterait ici !

Madame Beauté était comblée…

Son rêve était enfin exaucé !

RÉUNIS VITE LA COLLECTION ENTIÈRE

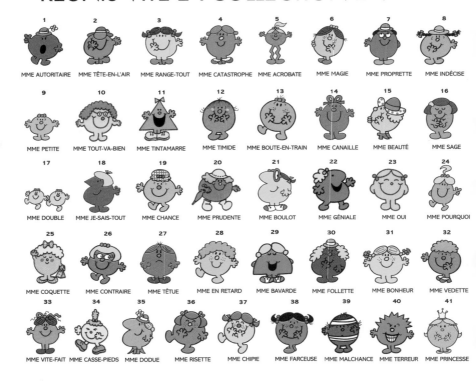

1 MME AUTORITAIRE	2 MME TÊTE-EN-L'AIR	3 MME RANGE-TOUT	4 MME CATASTROPHE	5 MME ACROBATE	6 MME MAGIE	7 MME PROPRETTE	8 MME INDÉCISE
9 MME PETITE	10 MME TOUT-VA-BIEN	11 MME TINTAMARRE	12 MME TIMIDE	13 MME BOUTE-EN-TRAIN	14 MME CANAILLE	15 MME BEAUTÉ	16 MME SAGE
17 MME DOUBLE	18 MME JE-SAIS-TOUT	19 MME CHANCE	20 MME PRUDENTE	21 MME BOULOT	22 MME GÉNIALE	23 MME OUI	24 MME POURQUOI
25 MME COQUETTE	26 MME CONTRAIRE	27 MME TÊTUE	28 MME EN RETARD	29 MME BAVARDE	30 MME FOLLETTE	31 MME BONHEUR	32 MME VEDETTE
33 MME VITE-FAIT	34 MME CASSE-PIEDS	35 MME DODUE	36 MME RISETTE	37 MME CHIPIE	38 MME FARCEUSE	39 MME MALCHANCE	40 MME TERREUR	41 MME PRINCESSE

DES **MONSIEUR MADAME**

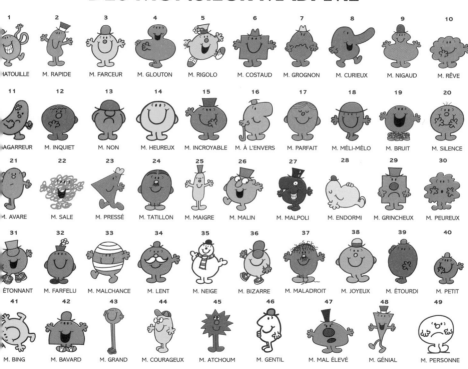

1 ...ATOUILLE
2 M. RAPIDE
3 M. FARCEUR
4 M. GLOUTON
5 M. RIGOLO
6 M. COSTAUD
7 M. GROGNON
8 M. CURIEUX
9 M. NIGAUD
10 M. RÊVE

11 ...AGARREUR
12 M. INQUIET
13 M. NON
14 M. HEUREUX
15 M. INCROYABLE
16 M. À L'ENVERS
17 M. PARFAIT
18 M. MÉLI-MÉLO
19 M. BRUIT
20 M. SILENCE

21 M. AVARE
22 M. SALE
23 M. PRESSÉ
24 M. TATILLON
25 M. MAIGRE
26 M. MALIN
27 M. MALPOLI
28 M. ENDORMI
29 M. GRINCHEUX
30 M. PEUREUX

31 ...ÉTONNANT
32 M. FARFELU
33 M. MALCHANCE
34 M. LENT
35 M. NEIGE
36 M. BIZARRE
37 M. MALADROIT
38 M. JOYEUX
39 M. ÉTOURDI
40 M. PETIT

41 M. BING
42 M. BAVARD
43 M. GRAND
44 M. COURAGEUX
45 M. ATCHOUM
46 M. GENTIL
47 M. MAL ÉLEVÉ
48 M. GÉNIAL
49 M. PERSONNE

Adaptation : Josette Gontier
Dépôt légal : Juillet 2005
Loi n° 49-956 du 16 juillet 1949 sur les publications destinées à la jeunesse.
Imprimé et relié en France par I.M.E.